# 따라 하기만 해도 병이 낫는다 (티침편)

"병이 걸리는 방법이 있다면,
병이 치료되는 방법도 있다!"

이호택 셀프테라피

# 따라 하기만 해도 병이 낫는다 (티침편)

**발 행** / 2023년 12월 26일
**저 자** / 이호택
**디자인** / 문지연
**펴낸이** / 한건희
**펴낸곳** / 주식회사 부크크
**출판사등록** / 2014.07.15(제2014-16호)
**주 소** / 서울시 금천구 가산디지털1로 119
　　　　　SK트윈타워 A동 305호
**전 화** / 1670-8316
**이메일** / info@bookk.co.kr

**ISBN** / 979-11-410-6206-4

www.bookk.co.kr

# 차 례

## PART 1     기본자리

## PART 2     질환에 따른 혈자리 처방

## PART3     정혈자리

PART 4　　힐링혈자리

## PART 5    특수혈자리

# 이 책을 펴내며

2008년 아내가 간경화라는 진단을 받았습니다. 병이 진행되는 것을 손 놓고 보고만 있을 수 없어 치료법을 찾던 중 우연한 계기로 침뜸을 배우게 되었습니다. 배운 것을 아내 몸에 적용한지 불과 일 년도 채 안 되어 정기 검진에서 모든 수치가 정상 범위 안에 들어왔다는 놀라운 말을 들었습니다.

이러한 침뜸의 효과가 지인들 사이에 입소문으로 퍼지기 시작했고, 그들과 또 그들의 지인이 찾아오기 시작했습니다. 당시 제가 해줄 수 있는 건 뜸자리를 잡아주는 것뿐이었습니다. 환자와 가족의 간절한 심정을 누구보다 잘 알기에 그들도 회복되기를 바라는 마음으로 제가 아는 것을 기꺼이 나누어 주었습니다. 그런데 얼마 지나지 않아 여기저기서 몸이 좋아졌다며 감사의 인사를 전해 왔습니다. 내로라하는 병원도 돕지 못한 그들의 문제를 각자의 몸이 스스로 치료하는 모습을 보는 것은 경이 그 자체였습니다.

중국은 한국과는 달리 침구술만의 합법적인 의료적 지위가 인정되고 있는 나라입니다. 2011년 중국에서 침구사 자격증을 취득한 후, 그곳에서 그간 배운 침술을 바탕으로 확장된 각종 치료법을 연구하고 현장에서 응용해 볼 수 있는 소중한 기회들을 얻게 되었습니다.

제가 지난 십여 년간 쌓은 이 귀한 지식을 저만 알고 있기에는 너무 아깝다는 생각이 듭니다. 조금만 배워도 스스로 고칠 수 있는 병이 무수히 많은데, 이를 알지 못해 고통받는 사람들이 너무나도 많기 때문입니다.

≪ 따라하기만 해도 병이 낫는다 ≫시리즈를 통해, 글을 읽을 수 있는 사람이라면 누구나 스스로 치료할 수 있는 길을 열고자 합니다. 아무쪼록 이 책을 통해 많은 환자들의 고통을 덜어줄 수 있기를 바랍니다.

이호택

# 치료 준비물

## 티침(T침, 스티커침)

인터넷 쇼핑몰에서 "티침"으로 검색하면 쉽게 구매할 수 있습니다. 여러 제조사가 있지만 동방침에서 만든 티침을 권장합니다. 반드시 스티커에 압정 모양의 침이 있는 제품을 구입해야 합니다.

## 네임펜

티침을 붙이기 전에 찾은 혈자리를 표시할 때 사용합니다.

# 사용 방법

이 책은 사전처럼 활용하도록 제작되었습니다. 처음부터 끝까지 모두 읽을 필요는 없으며 평소 찾기 쉬운 곳에 비치해 두었다가 질병이 생겼을 때 관련 페이지를 찾아 바로 따라 하면 됩니다. 의학적 지식이 없어도 누구나 사용하기 쉽게 만들었습니다. 각 혈자리는 동영상 설명이 준비되어 있기 때문에 손쉽게 혈자리를 찾을 수 있습니다.

1. 어떤 병이든 상관없이 먼저 "기본 자리"에 티침을 붙입니다.

2. 그다음 현재 아픈 증상과 연관 있는 질병을 목록에서 찾아서 관련된 혈자리에 티침을 추가로 붙입니다.

3. 혈자리 위치를 잘 모를 때는 가나다 순서에 따라 정리된 혈자리 정보를 보고 찾을 수 있습니다.
   사진과 설명으로 찾기 어려울 때는 해당 혈자리를 찾는 방법을 설명한 동영상을 참조하세요.
   동영상은 페이지 하단에 있는 QR코드를 핸드폰 사진 기능으로 스캔하면 볼 수 있습니다.

4. 매일 티침을 붙이고 3-4시간 후에 제거합니다.

# 주의사항

● 혈자리 찾는 가장 정확한 방법은 혈자리의 대략적인 위치를 잡은 후 그 주변을 지압해 보는 것입니다. 그 중 가장 아픈 지점에 티침을 붙이십시오.

● 티침을 정확하지 않게 붙여도 효과가 줄어들 뿐 부작용은 없으므로, 안심하고 사용할 수 있습니다.

● 티침은 혈자리 자극을 통해 지속적으로 두뇌와 경락을 조정합니다. 티침을 붙이고 있는 동안 그리고 제거 후 약 1일 정도의 지속 효과가 있습니다.

● 일반적으로 하루에 3-4시간 동안 붙이고 있을 것을 권장하지만, 피부에 스티커로 인한 트러블이 생기면 즉시 제거합니다. 그리고 피부에 트러블이 완전히 회복된 후 다시 사용합니다.

● 만약 피부 트러블이 생기지 않는다면 수 일 동안 장시간 붙이고 있어도 효과가 좋습니다.

● 티침을 붙이고 즉시 효과를 느낄 수 있어야 합니다. 만약 전혀 변화가 없다면 혈자리를 잘못 찾은 경우입니다.

● 티침으로 치료해도 증상이 계속 악화되면 위중한 상태이므로, 즉시 전문 의사의 진료를 받아야 합니다.

● 티침으로 치료 후 증상이 개선되고 거의 불편함이 없게 된 후에도 약 1-2주를 더 시행한 후 자가 치료를 종료합니다.

# 기본자리

기본자리는 질병이 있는 사람도 좋고, 건강한 사람도 좋은 혈자리입니다.

어떤 질병이든 상관없이 우선 이 혈자리들에 티침을 붙입니다.

**사용 혈자리** : 곡지, 주료, 상주료, 힐링감기수혈, 힐링심신경수혈, 힐링심장수혈, 힐링소화수혈, 합곡

# PART1

# 기본자리

기본자리를 소개합니다.

# 곡지

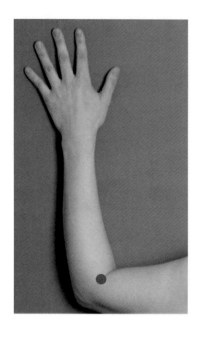

**효과** : 팔, 어깨, 경추, 등, 소화, 균형, 심, 소장, 간, 담, 비위, 중풍 관련 질병

**위치** : 양쪽 팔꿈치 주름이 끝나는 외측 지점, 팔 안쪽과 바깥쪽 경계선

곡지 찾는 방법 동영상 강의 QR코드

# 주료

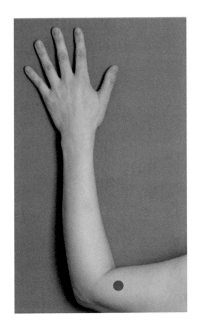

**효과** : 머리, 경추, 경동맥, 경정맥, 심장, 소장

**위치** : 양팔 곡지에서 손가락 하나 더 올라간 지점

주료 찾는 방법 동영상 강의 QR코드

13

# 상주료

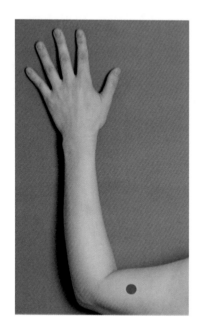

**효과** : 머리, 경추, 경동맥, 경정맥, 심장, 소장
**위치** : 양팔 주료에서 손가락 하나 더 올라간 지점

상주료 찾는 방법 동영상 강의 QR코드

# 힐링감기수혈

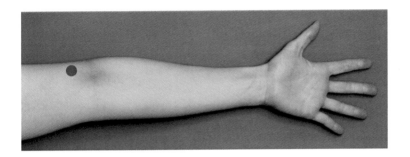

**효과** : 감기, 폐, 대장, 호르몬, 갑상선, 편도선, 심장, 소장, 신장, 방광, 인후, 기도, 식도

**위치** : 양팔 이두박근과 인대가 만나는 곳에서 엄지손가락 방향으로 인대 바깥쪽

힐링감기수혈 찾는 방법 동영상 강의 QR코드

# 힐링심신경수혈

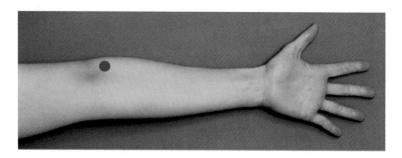

**효과** : 심장, 소장, 어깨, 유방

**위치** : 양팔 팔꿈치 안쪽 주름 손가락 하나 아래, 팔 안쪽을 4등분 후 바깥쪽 ¼ 지점

힐링심신경수혈 찾는 방법 동영상 강의 QR코드

# 힐링심장수혈

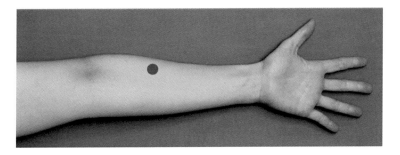

**효과** : 심장, 정신질환, 불면증

**위치** : 왼팔 손목과 팔꿈치 1/3 위쪽, 약간 외측 근육과 근육 사이 쏙 들어가는 지점 (오른팔에는 없음)

힐링심장수혈 찾는 방법 동영상 강의 QR코드

# 힐링소화수혈

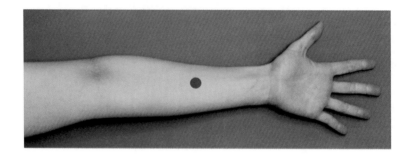

**효과** : 소화, 오장육부, 몸의 균형과 순환
**위치** : 양팔 팔 안쪽 정가운데

힐링소화수혈 찾는 방법 동영상 강의 QR코드

# 합곡

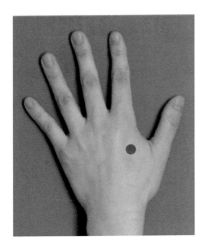

**효과** : 심장, 소장, 간장, 담낭, 비장, 위장, 안면부, 눈

**위치** : 양손 검지와 연결된 손몸뼈의 정중앙, 뼈 아래 살만 있는 곳

# PART2

## 질환에 따른 혈자리 처방

질환에 따른 혈자리 처방을 소개합니다.

# 질환에 따른 혈자리 처방

**가래** = 기본자리 + 힐링신장수혈, 힐링기관지수혈, 중저, 외노궁

**감기** = 기본자리 + 힐링신장수혈, 육점

**갑상선** = 기본자리 + 힐링신장수혈, 중저, 이신문, 열결

**견비염** = 기본자리 + 힐링간장수혈, 외노궁, 수삼리

**고열** = 기본자리 + 힐링코수혈, 힐링신장수혈, 중저, 육점, 대추

**골반변형** = 기본자리 + 열결, 힐링간장수혈, 양계, 양지, 힐링발목수혈, 힐링무릎수혈

**구토** = 기본자리 + 힐링비장수혈, 힐링간장수혈, 힐링식도수혈, 힐링대장수혈, 인당

**근시** = 기본자리 + 힐링간장수혈, 힐링안구수혈

**기관지염** = 기본자리 + 척택, 곡택, 힐링기관지수혈

**기침** = 기본자리 + 척택, 곡택, 힐링기관지수혈

**난시** = 기본자리 + 힐링간장수혈, 힐링안구수혈

**난청** = 기본자리 + 힐링간장수혈, 힐링신장수혈, 힐링경추수혈, 비노, 완골, 예풍, 이문, 청궁, 청회

**노안** = 기본자리 + 힐링간장수혈, 힐링안구수혈, 양로

**담결림** = 기본자리 + 수삼리, 힐링간장수혈, 힐링신장수혈, 외노궁

**대하** = 기본자리 + 힐링간장수혈, 힐링신장수혈, 힐링비장수혈, 열결, 내관, 이신문, 양계, 양지, 어제, 힐링방광수혈

**독충(모기, 말벌 등)에 물린 경우** = 기본자리 + 힐링간장수혈, 힐링신장수혈, 아시혈

**두통(눈썹사이)** = 기본자리 + 힐링비장수혈, 힐링코수혈, 어제

**두통(이마)** = 기본자리 + 열결

**두통(왼쪽 편두통)** = 기본자리 + 좌측 비노, 힐링비장수혈

**두통(오른쪽 편두통)** = 기본자리 + 우측 비노, 힐링간장수혈

**두통(정수리)** = 기본자리 + 견우, 힐링신장수혈, 힐링간장수혈, 힐링비장수혈, 힐링방광수혈

**두통(뒤통수)** = 기본자리 + 힐링후두수혈, 힐링두뇌수혈, 양계, 양지

**목감기** = 기본자리 + 힐링간장수혈, 척택, 곡택, 힐링기관지수혈, 외노궁

**목디스크** = 기본자리 + 힐링후두수혈, 힐링간장수혈, 힐링경추수혈

**무릎관절염** = 기본자리 + 힐링무릎수혈, 힐링간장수혈, 힐링비장수혈, 양계, 열결, 어제

**무월경** = 기본자리 + 힐링간장수혈, 힐링비장수혈, 힐링신장수혈, 내관, 힐링방광수혈, 어제, 열결, 이신문, 삼음교

**발목염좌** = 기본자리 + 힐링발목수혈, 힐링간장수혈, 힐링무릎수혈, 양계

**방광염** = 기본자리 + 힐링신장수혈, 힐링방광수혈, 힐링경추수혈, 내관, 양지

**백내장** = 기본자리 + 힐링간장수혈, 힐링안구수혈, 양로, 힐링경추수혈

**변비** = 기본자리 + 힐링비장수혈, 힐링대장수혈, 힐링간장수혈

**불면증** = 기본자리 + 힐링신장수혈, 힐링간장수혈, 중저, 육점, 힐링경추수혈, 힐링요추수혈

**붕루** = 기본자리 + 힐링간장수혈, 힐링신장수혈, 힐링비장수혈, 열결, 내관, 이신문, 양계, 양지, 어제, 힐링방광수혈

**비복근 경련(쥐가 난 경우)** = 기본자리 + 힐링간장수혈, 힐링요추수혈, 양계, 어제

**비염** = 기본자리 + 영향, 힐링비통혈, 인당, 힐링액중혈, 힐링코수혈, 힐링비장수혈, 힐링간장수혈, 힐링신장수혈, 어제, 외노궁

**빈뇨** = 기본자리 + 힐링신장수혈, 힐링방광수혈, 힐링경추수혈, 내관, 양지

**생리불순** = 기본자리 + 힐링간장수혈, 힐링비장수혈, 힐링신장수혈, 중저, 내관, 양계, 힐링방광수혈, 어제, 열결, 이신문, 삼음교

**생리통** = 기본자리 + 힐링간장수혈, 힐링비장수혈, 힐링신장수혈, 중저, 내관, 양계, 힐링방광수혈, 어제, 열결, 이신문, 삼음교

**서경** = 기본자리 + 힐링간장수혈, 힐링경추수혈, 어제

**설사** = 기본자리 + 힐링비장수혈, 힐링대장수혈, 힐링간장수혈

**소화불량** = 기본자리 + 힐링간장수혈, 힐링비장수혈, 힐링신장수혈, 힐링대장수혈, 어제, 육점

**손떨림** = 기본자리 + 힐링간장수혈, 힐링경추수혈, 어제

**손목터널증후군** = 기본자리 + 힐링경추수혈, 힐링간장수혈, 힐링손목수혈

**식도염** = 기본자리 + 힐링비장수혈, 힐링식도수혈

**식체** = 기본자리 + 힐링비장수혈, 힐링간장수혈, 힐링대장수혈

**안검하수** = 기본자리 + 힐링간장수혈, 힐링안구수혈, 양백

**안구건조증** = 기본자리 + 사총혈, 힐링간장수혈, 힐링신장수혈, 힐링안구수혈

**어린이 야뇨증** = 힐링신장수혈, 명문

**오십견** = 기본자리 + 힐링간장수혈, 외노궁, 수삼리

**요도염** = 기본자리 + 힐링신장수혈, 힐링방광수혈, 힐링경수혈, 내관, 양지

**요통** = 기본자리 + 힐링간장수혈, 힐링신장수혈, 힐링비장수혈, 힐링대장수혈, 힐링방광수혈, 내관, 열결, 양계, 양지, 힐링발목수혈, 힐링무릎수혈, 힐링요추수혈

**원시** = 기본자리 + 힐링간장수혈, 힐링안구수혈, 사총혈, 양로

**위경련** = 기본자리 + 힐링비장수혈, 힐링간장수혈, 힐링식도수혈

**위궤양** = 기본자리 + 힐링비장수혈, 힐링간장수혈, 힐링식도수혈

**위산과다** = 기본자리 + 힐링비장수혈

**위염** = 기본자리 + 힐링비장수혈, 힐링간장수혈, 힐링식도수혈

**이명** = 기본자리 + 힐링간장수혈, 힐링신장수혈, 힐링경추수혈, 비노, 완골, 예풍, 이문, 청궁, 청회

**입덧** = 기본자리 + 힐링비장수혈, 힐링간장수혈, 힐링식도수혈, 힐링대장수혈, 인당

**자궁출혈** = 기본자리 + 힐링간장수혈, 힐링신장수혈, 힐링비장수혈, 열결, 내관, 이신문, 양계, 양지, 어제, 힐링방광수혈

**장염** = 기본자리 + 힐링비장수혈, 힐링간장수혈, 힐링대장수혈

**전립선 비대** = 기본자리 + 힐링경추수혈, 힐링방광수혈, 열결, 내관, 양지, 양계

**좌골신경통** = 기본자리 + 힐링간장수혈, 힐링요추수혈, 양계, 양지, 열결, 어제

**차멀미** = 기본자리 + 힐링비장수혈, 힐링신장수혈, 완골, 예풍

**축농증** = 기본자리 + 힐링비장수혈, 힐링간장수혈, 힐링신장수혈, 영향, 힐링비통혈, 인당, 힐링액중혈, 힐링코수혈, 어제, 외노궁

**치통** = 기본자리 + 사백, 협승장, 힐링구강수혈, 힐링경추수혈, 양계, 하관

**코감기** = 기본자리 + 힐링신장수혈, 힐링비장수혈, 영향, 힐링비통혈, 인당, 힐링액중혈, 힐링코수혈, 어제, 외노궁

**코피(왼쪽)** = 기본자리 + 힐링신장수혈, 힐링비장수혈, 인당, 힐링액중혈, 힐링코수혈, 어제, 외노궁

**코피(오른쪽)** = 기본자리 + 힐링간장수혈, 힐링신장수혈, 힐링액중혈, 힐링코수혈, 어제, 외노궁

**턱관절 빠짐/통증** = 기본자리 + 힐링간장수혈, 양계, 양지, 비노

**테니스엘보** = 기본자리 + 힐링간장수혈, 힐링비장수혈, 힐링팔꿈치수혈, 힐링경추수혈

**편도선비대** = 기본자리 + 힐링간장수혈, 열결, 이신문

**편도선염** = 기본자리 + 힐링간장수혈, 열결, 이신문

**허리디스크** = 기본자리 + 힐링간장수혈, 힐링신장수혈, 힐링비장수혈, 힐링대장수혈, 힐링방광수혈, 내관, 열결, 양계, 양지, 힐링발목수혈, 힐링무릎수혈, 힐링요추수혈

**황반변성** = 기본자리 + 힐링간장수혈, 힐링신장수혈, 힐링안구수혈, 양로, 사총혈

**해열** = 기본자리 + 힐링코수혈, 힐링신장수혈, 중저, 육점, 대추

# PART3

# 정혈자리

정혈자리를 소개합니다.

# 견우

**효과** : 어깨, 정수리 두통, 팔

**위치** : 양팔 어깨 꼭대기, 앞쪽으로 뼈 앞에 움푹 들어간 지점

견우 찾는 방법 동영상 강의 QR코드

# 곡택

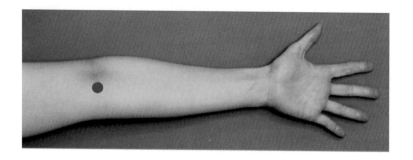

**효과** : 기침, 기관지, 폐, 대장, 감기, 연하곤란

**위치** : 양팔 팔꿈치 안쪽 주름의 1/3 내측

곡택 찾는 방법 동영상 강의 QR코드

# 내관

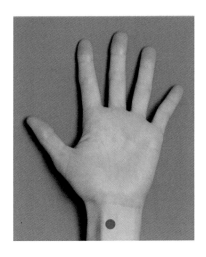

**효과** : 모든 내상, 생식기, 방광

**위치** : 양쪽 팔목 안쪽 가운데에서 팔꿈치 방향으로 만지며 올라가면서 처음으로 움푹 들어가는 곳

내관 찾는 방법 동영상 강의 QR코드

# 대추

**효과** : 혈압, 발열, 균형, 경추

**위치** : 경추 7번 아래 쏙 들어간 곳

대추 찾는 방법 동영상 강의 QR코드

# 명문

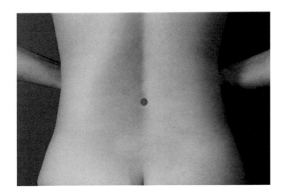

**효과** : 소아 관련 모든 질병, 면역력, 신장, 방광

**위치** : 요추 2번 아래 움푹 들어간 지점

명문 찾는 방법 동영상 강의 QR코드

# 비노

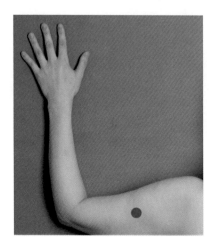

**효과** : 심장, 소장, 간장, 담, 어깨, 편두통, 귀, 이명, 어지러움

**위치** : 양팔 어깨에서 내려오는 팔 측면의 근육이 끝나는 지점

비노 찾는 방법 동영상 강의 QR코드

# 사백

**효과** : 눈, 피로, 소화, 상악 치통, 간, 비

**위치** : 눈동자 아래로 내려와 광대뼈 중간 오목한 느낌이 있는 곳

사백 찾는 방법 동영상 강의 QR코드

# 사총혈

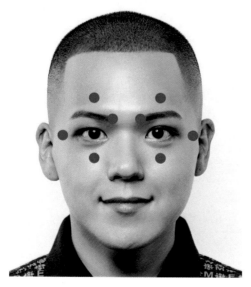

**효과** : 시력 강화, 녹내장, 백내장, 야맹증, 노안, 눈물 과다 또는 과소, 눈 충혈, 눈 전염병 등 각종 안과 질환

**위치** : 양백, 찬죽, 동자료, 사백

사총혈 찾는 방법 동영상 강의 QR코드

# 삼음교

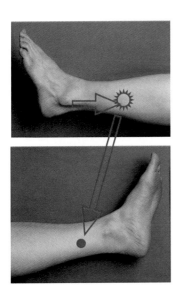

**효과** : 부인과 질병, 신장, 방광, 비장, 위, 간장, 담, 변비, 설사 등 부인과 전문

**위치** : 양 다리 바깥쪽 복사뼈에서 무릎쪽으로 뼈를 만지며 올라가다 뼈가 갑자기 느껴지지 않는 부분을 찾고, 건너편 다리 안쪽 경골 뼈 바로 아래 지점

삼음교 찾는 방법 동영상 강의 QR코드

35

# 수삼리

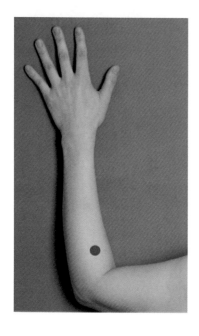

**효과** : 심장, 소장, 폐, 대장, 어깨, 견갑골, 등판

**위치** : 양팔 팔목과 팔꿈치를 12등분 한 후 팔꿈치에서 2/12

수삼리 찾는 방법 동영상 강의 QR코드

# 양계

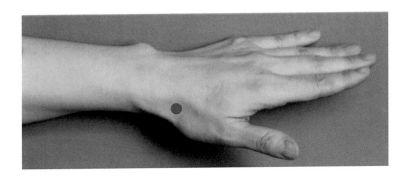

**효과** : 골반, 고관절, 생식기, 경추

**위치** :  양손 엄지손가락을 들어올리면 손목에 쏙 들어가는 지점,
인대와 인대 사이

양계 찾는 방법 동영상 강의 QR코드

# 양로

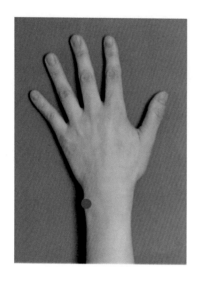

**효과** : 노인병, 안과, 골반, 경추

**위치** : 양팔 새끼손가락과 연결된 손목에 튀어나온 뼈에서 찾는다

양로 찾는 방법 동영상 강의 QR코드

# 양백

**효과** : 안구 관련 질환, 폐, 심, 간

**위치** : 눈동자 바로 위로 눈썹을 지나서 제일 낮게 들어간 곳

양백 찾는 방법 동영상 강의 QR코드

# 양지

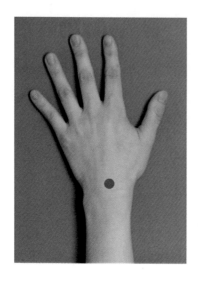

**효과** : 손목이 삔 경우, 골반, 경추, 발목, 생식기, 요추

**위치** : 양손 손목 외측, 손목 가운데 쏙 들어가는 곳

양지 찾는 방법 동영상 강의 QR코드

# 어제

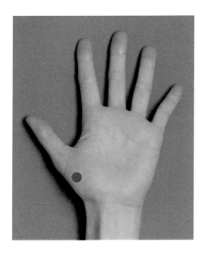

**효과** : 오장육부, 비염, 소화, 감기, 손떨림, 중풍 등
**위치** : 양손 엄지 손가락과 연결된 손바닥 근육의 정가운데

어제 찾는 방법 동영상 강의 QR코드

# 열결

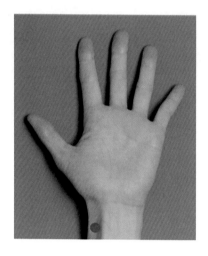

**효과** : 폐, 대장, 생식기, 대장

**위치** : 식지를 서로 교차해서 만나는 지점, 양팔 엄지손가락에서 팔목을 따라 내려가다 보면 딱딱한 뼈가 끝나고 쏙 들어가는 지점

열결 찾는 방법 동영상 강의 QR코드

# 영향

**효과** : 비염, 소화, 안면마비

**위치** : 팔자주름과 코밑 수평선이 교차하는 지점

영향 찾는 방법 동영상 강의 QR코드

# 예풍

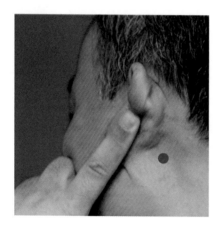

**효과** : 귀, 이명, 골반, 어지러움, 두통, 멀미, 균형

**위치** : 귓불 뒤쪽 뼈와 귓불 사이 쏙 들어간 곳

예풍 찾는 방법 동영상 강의 QR코드

# 완골

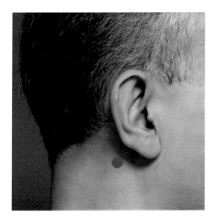

**효과** : 귀 관련 질병, 이명, 골반, 어지러움, 두통, 차멀미, 균형

**위치** : 귀 뒤의 초승달 모양의 뼈 아래 뾰족한 부분에서 경추쪽 방향 쪽 들어가는 지점

완골 찾는 방법 동영상 강의 QR코드

# 외노궁

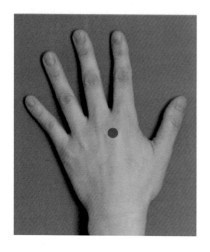

**효과** : 심장, 소장, 폐, 대장, 신장, 방광, 인후, 호흡, 유방, 소화, 구토, 토혈, 입냄새, 중풍, 우울, 황달, 열병, 무한, 손이 굳는 현상

**위치** : 양손 노궁의 손등쪽

외노궁 찾는 방법 동영상 강의 QR코드

# 육점

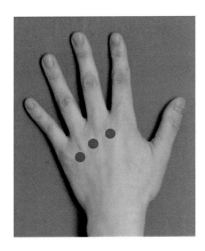

**효과** : 전신 순환, 중풍

**위치** : 양손 팔사에서 주먹 쥐면 튀어나오는 뼈를 지나자마자 오목한 곳

육점 찾는 방법 동영상 강의 QR코드

# 이문

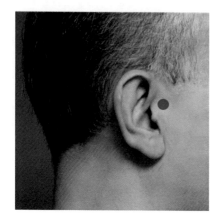

**효과** : 귀 관련 질병, 이명

**위치** : 이주 위쪽 경계선 앞, 청궁 위

이문 찾는 방법 동영상 강의 QR코드

# 이신문

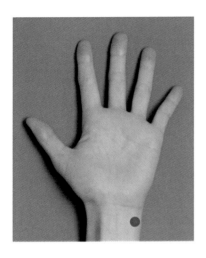

**효과** : 심장, 소장, 정신병, 경추, 생식기, 유방, 어깨

**위치** : 양팔 새끼손가락 아래쪽 손목의 주름 부분, 인대의 바깥쪽

이신문 찾는 방법 동영상 강의 QR코드

# 인당

**효과** : 전신

**위치** : 눈썹과 눈썹 사이

인당 찾는 방법 동영상 강의 QR코드

# 중저

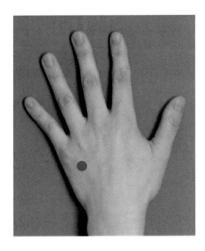

**효과** : 신장, 방광, 허리

**위치** : 양손 4, 5번 손가락 갈라진 곳과 손목의 중간, 손몸뼈 사이 움푹 들어간 지점

중저 찾는 방법 동영상 강의 QR코드

# 척택

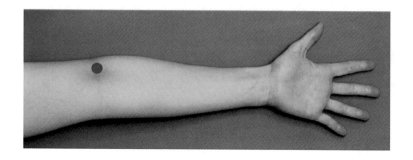

**효과** : 기침, 기관지, 폐, 대장, 감기, 연하곤란
**위치** : 양팔 팔꿈치 안쪽 주름의 1/3 외측

척택 찾는 방법 동영상 강의 QR코드

# 청궁

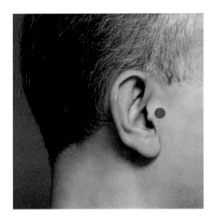

**효과** : 귀 관련 질병, 이명

**위치** : 이주 중앙 앞 쪽 들어가는 곳

청궁 찾는 방법 동영상 강의 QR코드

# 청회

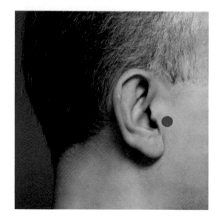

**효과** : 귀 관련 질병, 이명
**위치** : 이주 아래쪽 경계선 앞, 청궁 아래

청회 찾는 방법 동영상 강의 QR코드

# 하관

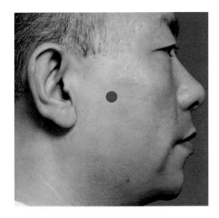

**효과** : 턱관절, 편두통, 비염, 치통

**위치** : 광대뼈 하단 경계선을 따라 귀쪽으로 이동하여 머리털과 만나기 직전, 입을 벌리면 튀어나오는 곳

55

# 협승장

**효과** : 하악 치통, 생식기, 머리, 균형

**위치** : 승장 좌우측, 입술을 4등분하여 양쪽 끝 1/4 지점

# PART4

## 힐링혈자리

힐링혈자리를 소개합니다.

# 힐링간장수혈

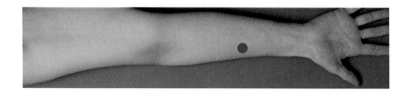

**효과** : 간, 담, 피로, 부종, 불면

**위치** : 오른팔에만 있음, 힐링소화수혈 외측, 통증이 있거나 딱딱
한 부위

힐링간장수혈 찾는 방법 동영상 강의 QR코드

# 힐링경추수혈

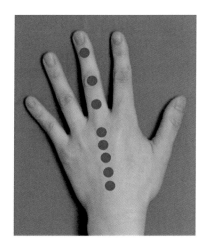

**효과** : 경추

**위치** : 양손 손등쪽 가운데 손가락 관절과 손몸뼈

힐링경추수혈 찾는 방법 동영상 강의 QR코드

# 힐링구강수혈

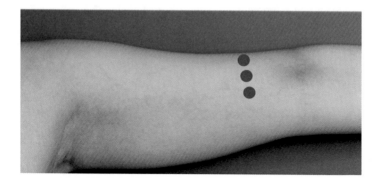

**효과** : 구강, 치통, 입술, 혀, 생식기
**위치** : 이두박근 ¼ 지점, 수평으로 4등분한 지점

# 힐링기관지수혈

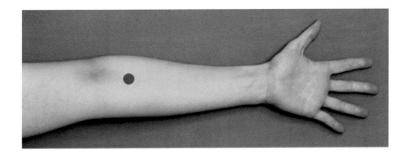

**효과** : 기관지 관련 질병, 매핵기, 기침, 호흡 곤란

**위치** : 양쪽 팔의 1/6 팔꿈치 쪽, 내측 정가운데

힐링기관지수혈 찾는 방법 동영상 강의 QR코드

# 힐링대장수혈

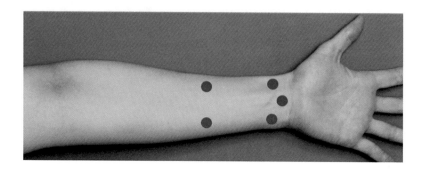

**효과** : 대장, 요통, 소화, 설사, 변비

**위치** : 양팔, 한 팔에 총 5개의 혈자리, 팔목 안쪽에 3개, 힐링소화
수혈 아래에 2개

힐링대장수혈 찾는 방법 동영상 강의 QR코드

# 힐링두뇌수혈

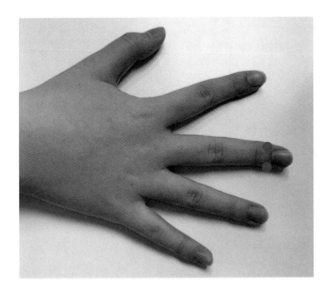

**효과** : 뇌하수체 , 내분비 , 긴장

**위치** : 중지의 양쪽 손톱 뿌리 각에서 약 5미리 떨어진 곳

힐링두뇌수혈 찾는 방법 동영상 강의 QR코드

# 힐링무릎수혈

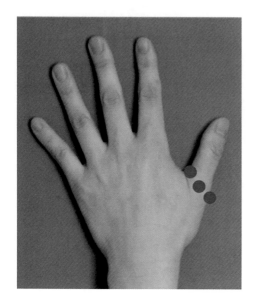

**효과** : 무릎과 관련된 질병

**위치** : 엄지와 손몸이 만나는 관절

　　　　왼쪽 무릎 치료: 오른쪽 엄지

　　　　오른쪽 무릎 치료: 왼쪽 엄지

힐링무릎수혈 찾는 방법 동영상 강의 QR코드

# 힐링발목수혈

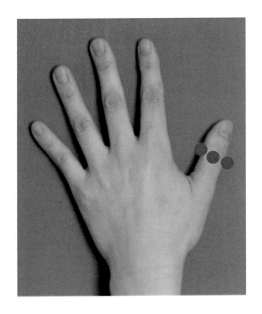

**효과** : 발목 관련 질병

**위치** : 엄지 첫번째 관절

　　　　왼쪽 발목 치료: 오른쪽 엄지

　　　　오른쪽 발목 치료: 왼쪽 엄지

힐링발목수혈 찾는 방법 동영상 강의 QR코드

# 힐링방광수혈

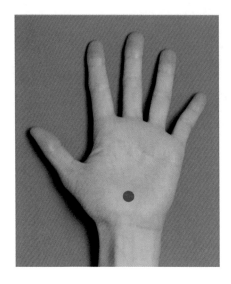

**효과** : 방광, 자궁, 전립선

**위치** : 양손 손바닥 엄지와 새끼손가락에 연결된 살이 만나는 지점의 바로 위, 제일 들어간 곳

힐링방광수혈 찾는 방법 동영상 강의 QR코드

# 힐링비장수혈

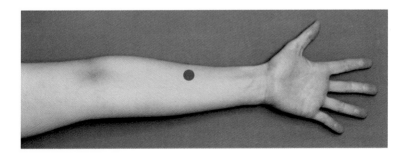

**효과** : 비장, 위, 소화, 당뇨병, 어지러움, 중풍

**위치** : 왼손에만 있음, 힐링소화수혈 외측, 통증이 있거나 딱딱한
부위

# 힐링비통혈

**효과** : 부비동염(비염, 축농증), 콧물, 신장, 요통
**위치** : 코의 연골과 단단한 뼈가 만나는 곳

힐링비통혈 찾는 방법 동영상 강의 QR코드

# 힐링손목수혈

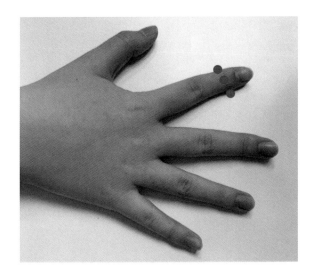

**효과** : 손목 관련 질병

**위치** : 검지의 1번째 마디, 상하좌우 중심

　　　　왼쪽 손목 질병: 오른손 혈자리 사용

　　　　오른쪽 손목 질병: 왼손 혈자리 사용

힐링손목수혈 찾는 방법 동영상 강의 QR코드

# 힐링식도수혈

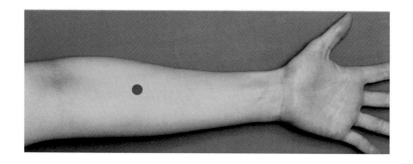

**효과** : 식도 관련 질병, 기침, 호흡 곤란
**위치** : 양팔 안쪽 1/3 지점, 정가운데

힐링식도수혈 찾는 방법 동영상 강의 QR코드

# 힐링신장수혈

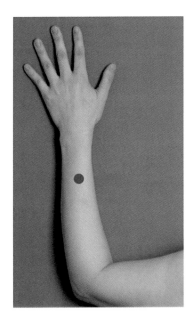

**효과** : 신장, 방광, 요통, 부종, 불면증

        **왼손**: 오른쪽 신장

        **오른손**: 왼쪽 신장

**위치** : 손목과 팔꿈치를 3등분한 후, 1/3 손목쪽, 노뼈 바로 옆

힐링신장수혈 찾는 방법 동영상 강의 QR코드

# 힐링안구수혈

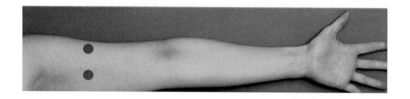

**효과** : 안과 질환, 두뇌 관련, 심, 소장, 간, 담
**위치** : 양팔 앞쪽 근육 1/3 위쪽

힐링안구수혈 찾는 방법 동영상 강의 QR코드

# 힐링액중혈

**효과** : 폐, 기관지, 균형, 감기, 비염

**위치** : 이마 중심

힐링액중혈 찾는 방법 동영상 강의 QR코드

# 힐링요추수혈

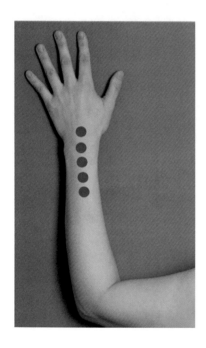

**효과** : 요통, 디스크, 협착증

**위치** : 양팔 외측, 양지에서 팔의 근육이 시작되는 부분까지, 노뼈 바로 옆, 5군데로 균등하게 나눈 매 지점

힐링요추수혈 찾는 방법 동영상 강의 QR코드

# 힐링코수혈

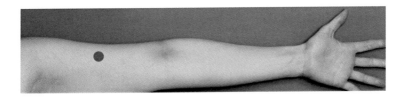

**효과** : 코, 비염, 축농증, 코피, 소화, 중풍

**위치** : 양팔 이두박근의 정가운데

힐링코수혈 찾는 방법 동영상 강의 QR코드

# 힐링팔꿈치수혈

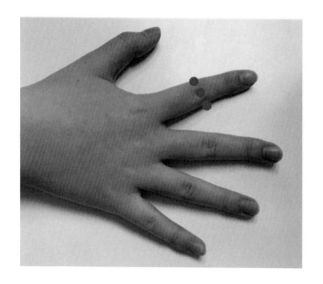

**효과** : 팔꿈치 관련 질병

**위치** : 검지의 2번째 마디

　　　　왼쪽 팔꿈치 질병: 오른쪽 검지 혈자리

　　　　오른쪽 팔꿈치 질병: 왼쪽 검지 혈자리

힐링팔꿈치수혈 찾는 방법 동영상 강의 QR코드

# 힐링후두수혈

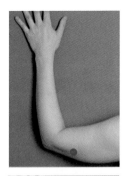

**효과** : 후두(뒷골), 혈압, 신장

**위치** : 양팔 삼두근과 인대가 만나는 지점, 인대 좌우 외측

힐링후두수혈 찾는 방법 동영상 강의 QR코드

# PART5

# 특수혈자리

특수혈자리를 소개합니다.

# 아시혈(阿是穴)

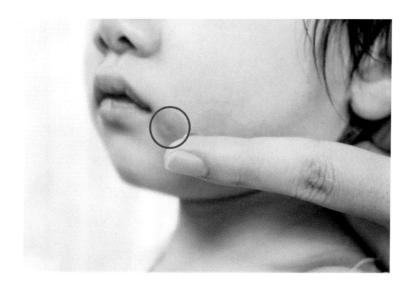

'아시혈'은 벌레에 물리거나, 통증이나 상처 등 질병이 생긴 부위를 뜻합니다. 그 부위 정가운데에 직접 티침을 붙입니다.

# 목록에 없는 다른 질병으로 고생하고 계시나요?

이호택 셀프테라피를 배워보세요! 남녀노소 누구나 배울 수 있으며, 티칭 후 대부분의 질병을 스스로 치료할 수 있습니다. 교육은 1 대 1 맞춤형 개인 티칭과 이호택 셀프테라피 전문가 과정 인터넷 강의가 있습니다.

병이 걸리는 방법이 있다면, 병이 치료되는 방법도 있습니다!

교육 신청 및 자세한 사항은 카카오톡으로 문의하세요. 이호택 셀프테라피 교육 과정 안내장을 보내드리겠습니다.

**카카오톡 ID** : selfchim

**공식 블로그** : https://blog.naver.com/selfchim

**공식 유튜브** : https://www.youtube.com/@selfchim